# LA QUÊTE
# DE L'OISEAU DU TEMPS

## 1. la conque de Ramor

scénario : Le Tendre
dessin : Loisel
couleurs : Yves Lencot

**DARGAUD**

PARIS • BARCELONE • BRUXELLES • LAUSANNE • LONDRES • MONTREAL • NEW YORK • STUTTGART

www.dargaud.com

© **DARGAUD EDITEUR 1998**

Tous droits de traduction, de reproduction et d'adaptation strictement réservés pour tous pays.

Dépôt légal: janvier 2005 • ISBN 2-205-04800-7

Printed in France by PPO Graphic, 93500 Pantin

QUELQUE PART, PERDU DANS LES MARAIS DE LA **MARCHE DES VOILES D'ÉCUME...**

MAINTENANT, *TOUT* PEUT ARRIVER, MON PETIT **MAÎTRE!**

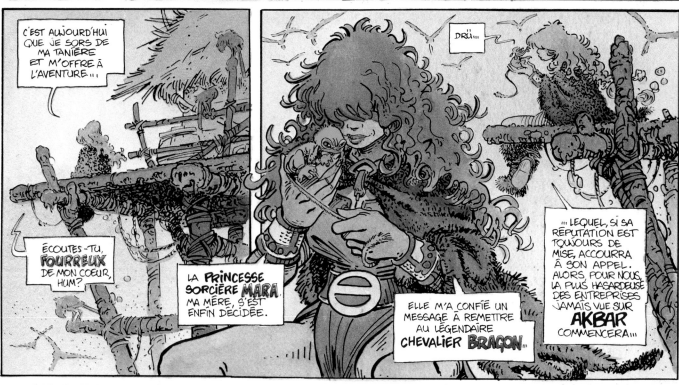

C'EST AUJOURD'HUI QUE JE SORS DE MA TANIÈRE ET M'OFFRE À L'AVENTURE...,

DRÜ...

ÉCOUTES-TU, **FOURREUX** DE MON COEUR, HUM?

LA **PRINCESSE SORCIÈRE MARA**, MA MÈRE, S'EST ENFIN DÉCIDÉE.

ELLE M'A CONFIÉ UN MESSAGE À REMETTRE AU LÉGENDAIRE **CHEVALIER BRAGON**,,,

,,, LEQUEL, SI SA RÉPUTATION EST TOUJOURS DE MISE, ACCOURRA À SON APPEL. ALORS, POUR NOUS, LA PLUS HASARDEUSE DES ENTREPRISES JAMAIS VUE SUR **AKBAR** COMMENCERA,,,

CE SERA,,,

DRÜ DRÜ

LA QUÊTE DE L'OISEAU DU TEMPS!

3

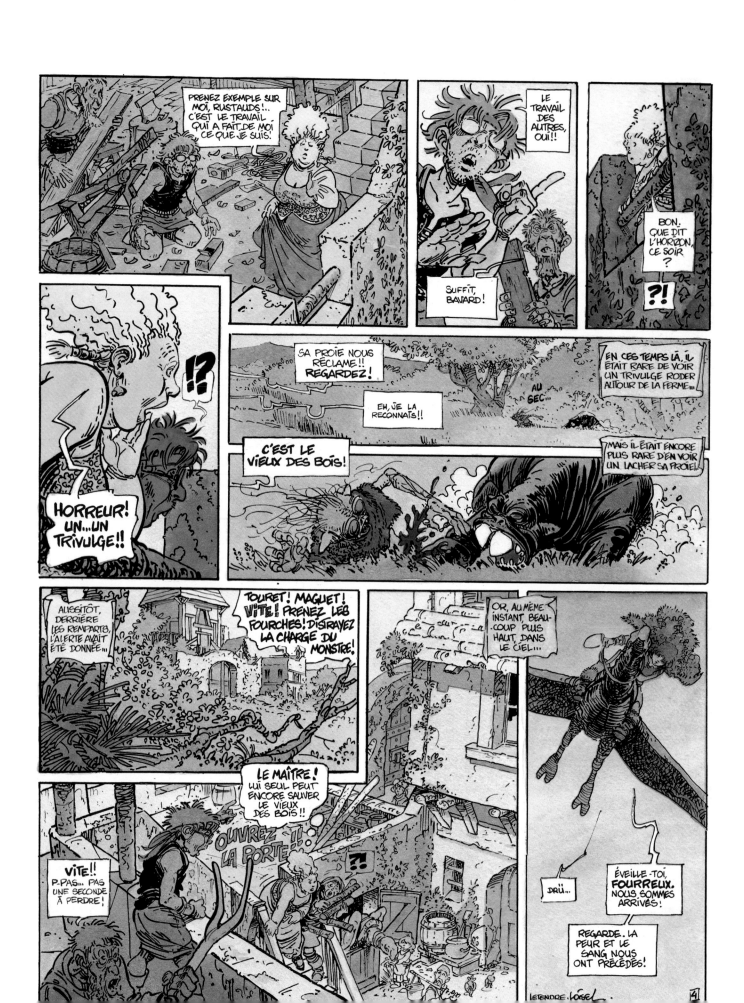

ET, AVANT QUE MAGUET AIT EU LE TEMPS DE FAIRE LE MOIN-DRE GESTE!..

NON! ATT!..

IMMONDICE DE LA NATURE!

DE QUEL DROIT CHASSES-TU HORS DE TON TERRITOIRE?

RECULE!.. RECULE JUSQU'AU VENTRE BRÛLANT DE TA FEMELLE!!

?! QUI EST CETTE DONZELLE?

NE ME CONNAISSEZ -VOUS PAS, TOI ET LES TIENS, AVEC QUI MA MÈRE A CONCLU ALLIANCE?

BRAA...

MAIS... MAIS ELLE EST FOLLE!! ..ARRÊTE-LÀ TOURET!

JE... REGARDE! LE MAÎTRE ARRIVE!!

JE SUIS PELISSE! LA FILLE DE LA PRINCESSE-SORCIÈRE MARA!

DRÜ!

?

MAÎTRE! C'EST UNE FOLLE!

SANG ET FUMÉE! MARA... UNE FILLE!!

MAIS ALORS!.. SON FOUET!.. C'EST...

...UNE FOLLE!

BRRAA

RECULE! SINON...

SOUDAIN, LE TRIVUL-GE REBELLE S'ÉTAIT DRESSÉ DE TOUTE SA TAILLE!.. C'ÉTAIT L'ATTAQUE!

PARLE MON AMI...

..."BRAGON... ÉCOUTE... LES RACINES SACRÉES M'ONT DÉ-VOILÉ L'AVENIR... UNE... UNE **OMBRE** RODE SUR AKBAR!...

...QUEL CUL!..

TOÍ BRAGON, TU LA COMBAT-TRAS JUSQU'AU BOUT... ET ELLE PÉRIRA QUAND... QUAND LES LUNES D'AKBAR SERONT ROUGES. *ROUGE-SANG*!

...SEULEMENT...

SEULEMENT, CE JOUR-LÀ, TU TROUVERAS LA **FOLIE** EN RÉCLAMANT LA MORT

... OUI... LA MOORRRT...

MAGLIET... QUELLE EST LA COULEUR DES LUNES D'AKBAR?

...? DES LUNES?..

OUI, LES LUNES!

...EUH

ELLES SONT JAUNES MAÎTRE, ET JAMAIS ON NE LES A VUES AUTREMENT!..

BIEN.

12

...LA FOLLE!

Wouu!

ALORS QU'ON L'ENTERRE LUI ET SES IMAGES DE MALHEUR... JE NE VEUX GARDER QUE CELLE DE SON COURAGE!

CHEVALIER BRAGON!

NE PERDONS PAS DE TEMPS! LA PRINCESSE-SORCIÈRE **MARA**, MA MÈRE, A DU TRAVAIL POUR TOI! ...**ES-TU PRÊT?**

!?

AÏE!... APRÈS LE TRIVULGE, LE MAÎTRE!!

SUPERBE!

HUMF!

NUL SUR AKBAR N'IGNORAIT LA SUSCEPTIBILITÉ DU CHEVALIER BRAGON...

ÉCOUTE MOI BIEN GAMINE!... FILLE DE MARA OU NON, JE NE SUPPORTERAI PAS QUE... QUE...

? AU FAIT,... QUI EST TON PÈRE ?

DRÜ...

...ET IL FALLAIT UNE FIÈRE AUDACE À PÉLISSE POUR OSER AINSI LE PROVOQUER

QUI SAIT BRAGON!... PEUT-ÊTRE TOI, MHH?..

IL SE FIT UN GRAND SILENCE!

LENTEMENT, COMME LA NUIT QUI ENVAHISSAIT LE CIEL D'AKBAR, LA COLÈRE, ELLE, ÉTOUFFAIT BRAGON!..

IL VENAIT D'ÊTRE TRAITÉ COMME JAMAIS!

PAR LES CROCS DU BORAK! MARA SE MOQUE DE MOI!

APRÈS TOUTES CES ANNÉES DE SILENCE ET D'OUBLI, VOILÀ QU'ELLE M'ENVOIE SA... BÂTARDE ME PRO-VOQUER!.. CHEZ MOI! DANS MON ERMITAGE!!

J'ENRAGE!

DRÜ!

MOI?! UNE BÂTARDE!

BRAGON! JE NE TE PERMETS PAS...

DRÜ! DRÜ!

AH SILENCE! TOI, ET TON... TON BESTIAU!

CALME MON PETIT MAÎTRE CALME...

DRÜ!

C'EST UN FOURREUX... MARA DIT QU'IL A D'ÉTRANGES POUVOIRS!..

BAH! POUVOIRS, MAGIE, SORTILÈGES!.. OUI! JE RE-CONNAIS BIEN LÀ LES ARTIFICES DE MARA!..

MAIS... JE NE SUIS PLUS UN JOUVENCEAU...

DRÜ...

...QU'ON ENVOÛTE ET QU'ON CHASSE À LA PREMIÈRE QUERELLE, MOI!!

12

JE SUIS ENCORE BRAGON... LE CHEVALIER BRAGON!

MOUI... ENFIN... J'ÉTAIS...

PARCE QUE MAINTENANT... HEIN!..

MAINTENANT, IL NE DÉPEND QUE DE TOI POUR LE REDEVENIR...

?

REGARDE!.. MARA M'A CONFIÉ CE MESSAGE. IL T'EXPLI- -QUERA TOUT!!

TOUT!

HUM?..

STIK!

MARA!

11

MARA JE... TU...

INUTILE, BRAGON! ELLE NE T'ENTEND PAS! COMME JE TE L'AI DIT CE N'EST QU'UN MESSAGE!

AH!... BON...

MOI, MARA, PRINCESSE-SORCIÈRE DE LA MARCHE DES VOILES D'ÉCUME SALUE LE TRÈS PUISSANT CHEVA-LIER BRAGON, ET L'INFORME!

...REGARDE!

?

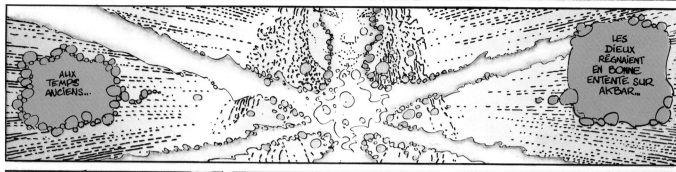

AUX TEMPS ANCIENS...

LES DIEUX RÉGNAIENT EN BONNE ENTENTE SUR AKBAR...

LEUR MAGIE ÉTAIT PUISSANTE ET RESPECTÉE

CEPENDANT, UN JOUR L'UN D'ENTRE EUX TENTA DE RENVERSER SES PAIRS POUR S'EMPARER DU POUVOIR-FORCE!

IL S'APPELAIT RAMOR!

16

SA FÉLONIE FUT DÉVOILÉE ET ÉCHOUA!!

AVEC L'AIDE DE LEUR GRIMOIRE, LES DIEUX LIBÉRÈRENT UN TERRIFIANT ENCHANTEMENT!

LES FORCES MAGIQUES S'AFFRONTÈRENT DANS UN COMBAT DÉMONIAQUE!

FINALEMENT, RAMOR FUT TERRASSÉ, VAINCU PAR LE POUVOIR DE L'ENCHANTEMENT!

FOU DE RAGE, IL FUT ASPIRÉ AU COEUR D'UNE CONQUE, SA PRISON!

LONGTEMPS APRÈS, LES DIEUX, VIEUX ET FATIGUÉS, SE RETIRÈRENT DANS UN MONDE SECRET...

LAS!.. RAMOR, OUBLIÉ DANS LES MÉANDRES DE LA CONQUE, DEMEURA!

IL GRANDISSAIT EN HAINE ET ATTENDAIT L'HEURE FATALE DE LA DÉLIVRANCE!!

ET CETTE HEURE APPROCHE... ALORS, LA DESTRUCTION ET LA MORT DOMINERONT AKBAR

L'ENCHANTEMENT QUI RETIENT PRISONNIER RAMOR LE MAUDIT S'ACHÈVERA... LA NUIT DE LA SAISON CHANGEANTE!

13

HEIN? JE!... JE!...

TOUT DE SUITE!

OUI...OUI DU BOIS !.. C'EST ÇA! DU BOIS!

IL N'Y A PAS DE "JE" QUI TIENNE, FAI-NÉANT!... VA DONC CHER-CHER DU BOIS!

SEUL, L'OISEAU DU TEMPS ME PERMETTRA D'ARRÊTER LE TEMPS... ET AINSI D'ACHEVER L'INCANTATION... MAIS D'ABORD...

"LA PREMIÈRE ÉPREUVE DE LA QUÊTE DE L'OISEAU DU TEMPS SERA DE ME RAMENER LA CONQUE DE RAMOR !.. SEULEMENT..."

SEULEMENT LES DANGERS SERONT INNOMBRABLES !!

BEN VOYONS!

LE PRINCE-SORCIER DE LA MARCHE DES TERRES ÉCLATÉES, SHAN-TUNG, LA GARDE JALOUSEMENT. IL FAUDRA LE CONVAINCRE DE TE LA CÉDER... DE GRÉ OU DE FORCE !!

LE SORT D'AKBAR EST DANS TES MAINS BRAGON

JE T'ATTENDS

VOILÀ...TU SAIS TOUT BRAGON...

EUH... LE BOIS, C'EST BIEN...

!!ICI..?

DRU..?

ASSEZ PERDU DE TEMPS! PLACE !!

15

QUELLE BRUTE! IL VOUS A FAIT MAL?

HEIN?... OH OUI... J'AI UNE BOSSE, LÀ! UNE GROSSE!

OÙ ÇA... JE NE VOIS RIEN?..

MOI, SI. TOUT!.. RRHH...

OH!

PAF!

?... BRAGON!

BRAGON! ATTENDS-MOI!

?! PÉLISSE!

HOULAA!.. ELLE ME LE PAIERA, FOI DE TOURET! OUAIS!

RETOURNE À LA FERME, TOI!.. POUR CE GENRE DE DISTRAC- -TION, JE N'AI PAS BESOIN D'UNE GAMINE! FOIN DE PUCELLE!

PUCELLE? VRAIMENT... ALORS MA VIRGINITÉ NOUS PORTERA CHANCE!

SANG ET FUMÉE!! ELLE A RAISON!

PLUS TARD, AUX CONFINS DES HAUTS-PLATEAUX DU MÉDIR...

PRUDENCE! NOUS ENTRONS DANS LE PAYS DES SEPT MARCHES!

BRAGON CONNAISSAIT LA ROUTE!... LA PREMIÈRE DES SEPT MARCHES ÉTAIT LE ROYAUME DES GRIS GRÊLETS... SON PRINCE-SORCIER S'APPELAIT SHAM-THUNG...

"ET SON NOM ÉTAIT...

LA MARCHE DES TERRES ÉCLATÉES!

IL SAVAIT AUSSI QU'IL N'Y AVAIT PAS DE TEMPS À PERDRE...

KREU!

BRAGON!... LES LORVENTS N'EN PEUVENT PLUS!!

LÀ! UN ABRI! LA GROTTE SACRÉE DES GRIS GRÊLETS!

PAS UN DE PLUS!

IL NE RESTAIT QUE NEUF JOURS AVANT LA NUIT DE LA SAISON CHANGEANTE!

BON. D'ACCORD... INUTILE DE TE FÂCHER !.. DIS-MOI PLUTÔT OÙ NOUS SOMMES ?

JE NE ME FÂCHE PAS !!

NOUS SOMMES DANS LA GROTTE SACRÉE, LE SANCTUAIRE DES GRIS-GRELETS... C'EST ICI QU'ILS VIENNENT MOURIR...

POURQUOI DANS CET ENDROIT ?

CEPENDANT PLUS BAS, À FLANC DE MONTAGNE...

DEUX ÉTRANGERS PROFANENT LA GROTTE SACRÉE.

PARCE QUE, POUR RENAÎTRE, IL LEUR FAUT LE LIEU D'UNE NAISSANCE... LE VOICI !.. LA SOURCE DU FLEUVE DOL !

HI ! HI !

?

IL FAUT LES TUER ZA-RHIM !

LEUR PRÉSENCE EST UN SACRILÈGE !

ASSEZ !!

UN RIRE ?

L'UN D'EUX EST-IL UN HOMME... UN CHEVALIER BARBU ?

ET SI OUI... ALORS... SHAN-THUNG L'AVAIT PRÉDIT !..

OUI.. JE L'AI ENTENDU AUSSI... IL COURAIT PAR LÀ... QUELQUE PART SUR L'EAU

HI !... HI... HI...

ÇA RECOMMENCE! LÀ-BAS ! ÉCOUTE !!

HI... HI... HI...

?

HI! HI! DOUDI, DOUDI!

MON NOM EST FOL!...

J'AI EN TÊTE UNE ÉPONGE GORGÉE DE SUCRERIES!..

TOUT POUR ÊTRE HEUREUX!

MH..

PAS VOUS?

Sic!

''''''?

MA BARBE? IL M'A VOLÉ UN POIL DE MA BARBE!!

PETIT ÊTRE MALSAIN! TU VAS ME PAYER CE POIL SUR TA PERRUQUE!

HA! HA! LE DRÔLET A TOUCHÉ JUSTE!

NUL NE ME CONNAÎT, TOUS M'IGNORENT! EH, CET HAMEÇON VAUT DE L'OR!

DOUDI! DOUDI!

REVIENS!

HI! HI!

VIL COQUIN! ATTENDS UN PEU QUE JE T'ATTRAPE!

HA! HA!

PFUIT! PFUIT! TA TÊTE EST-ELLE SI ENFLÉE QU'IL LUI FAILLE UNE CEINTURE?

'''UN MOT DE PLUS''' ET JE...

HALOO! HALOO! FOL DE DOL RÉCLAME SON TRÔNE À LA NATURE!

RRR...

'''JE..

BRAGON! ATTENTION IL VA'''

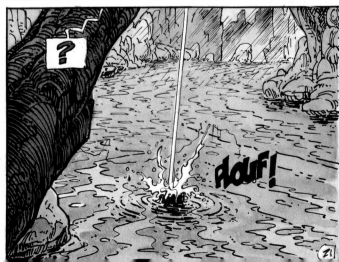

?

PLOUF!

LE CHOC AVAIT BALAYÉ BRAGON ! SEULE PELISSE POUVAIT ENCORE LE SAUVER...

BU....RRH...

TIENS-BON BRAGON !..

J'ARRIVE !

DRÜ ?

CRAMPONNE-TOI, FOURREUX !

...BLOUB... NON !.. PE...LISSE ! BU...

ALORS... SAVEZ-VOUS BIEN !.. LE FRUIT OU LE VER ?.. LE FRUIT, OU LE VER ?..

MAIS PELISSE, EMPORTÉE À SON TOUR PAR LE TOURBILLON NE POUVAIT PLUS RÉSISTER ! ELLE TROUVA POURTANT ENCORE LA FORCE DE RÉPONDRE

A.. ASSEZ FOL !.. GARDE TON... VER ET TON FRUIT... BU... POUR LES JOURS... BLLOUB...DE DISETTE !..

BONNE RÉPONSE ! BONNE RÉPONSE ! HI ! HI !

DRÜ !..

FLÉAU DE L'ONDE, RETOURNE À TON OUBLI !..HIHI !

AUSSITÔT LA MAGIE S'ÉTAIT BRISÉE ET...

CELUI QUI A FAIM NE SE POSE PAS DE QUESTIONS SUR LE FRUIT, LE VER, ET LEUR DIGESTION !..

DOUDI ! DOUDI ! ...COMME CELA EST BIEN DIT HI ! HI !..

DRÜ !.. NE LÂCHE PAS BRAGON !

ET QUELQUES INSTANTS PLUS TARD...

RIEN DE CASSÉ, BRAGON ?

SI...

...MON ORGUEIL !

25

PEU APRÈS, UNE FOIS BRAGON ET PÉLISSE REMIS DE LEURS ÉMOTIONS...

BRAVES ET SAGES! VOILÀ QUI EST MIEUX! CETTE FACÉTIE NE VOULAIT QUE VOUS OUVRIR LES YEUX!

MAIS QUI...DÎTES-MOI QUI... DU MODÈLE OU DU MIROIR RÉFLÉCHIT LE MIEUX?..

SPLICH!

DOUDI! DOUDI!

HI! HI!..

PLOUF!

SPLICH!

SPLICH!

QUEL ÉTRANGE PERSONNAGE!

ÉTRANGE OUI...

...ET DANGEREUX!

BAH! SI SON HONNÊTE FOLIE POUVAIT CHOISIR UN CAMP HONNÊTE MARA AURAIT LÀ UN PRÉCIEUX ALLIÉ.

OUI DÀ! CE DÉMON PORTERAIT HAUT LA BANNIÈRE... MAIS À L'ENVERS'!!

N'EMPÊCHE! TANT QUE TU AURAS UNE BONNE RÉPONSE À DONNER À SES ÉNIGMES, NOUS N'AURONS RIEN À CRAINDRE DE LUI...

PARTONS MAINTENANT... MARA NOUS ATTEND!

?!

JE TE SALUE NOBLE CHEVALIER BRAGON! NOUS NE T'ATTENDIONS PAS DE SITÔT... SHAN-THUNG NOTRE PRINCE-SORCIER, SE FERA UNE JOIE DE TE VOIR DANS SA CITÉ D'IR-WEIG!

BRAGON ...?

CALME PÉLISSE...

REFUSER UNE INVITATION DE SHAN-THUNG C'EST COURIR AU SUICIDE...

ET PUIS, N'OUBLIE PAS... C'EST LUI QUI A LA CONQUE!...

30

IL ÉTAIT TEMPS DE PARTIR... LES GRIS-GRELETS N'ATTENDAIENT PLUS QUE BRAGON ET PÉLISSE...

BIEN... NOUS SOMMES PRÊTS !

UN INSTANT CHEVALIER IL RESTE ENCORE UN ..."DÉTAIL À RÉGLER"...

AH !.. OUI JE VOIS...

..."LES LOPVENTS, N'EST CE PAS ?

OUI CHEVALIER... LES LOPVENTS.

?..MAIS DE QUOI PARLEZ-VOUS ?..

HUM... VOILÀ... EN RENTRANT DANS LEUR GROTTE SACRÉE, NOUS L'AVONS PROFANÉE... EH BIEN... C'EST CLAIR, PÉLISSE... IL NOUS FAUT RÉPARER !

?.."RÉPARER !.. TU VEUX DIRE..." UN SACRIFICE !!

EXACT !

JE VOIS QUE TU ES MAINTENANT PRÊT À ACCEPTER NOTRE TRADITION, BRAGON... ET JE SUIS HEUREUX DE CONSTATER QUE LE TEMPS OÙ TU M'AURAIS RÉPONDU L'ARME AU POING EST DÉSORMAIS RÉVOLU... VOILÀ QUI EST SAGE !!

MILLE FURIES !.. IL SE MOQUE DE MOI...

BON. ASSEZ DE SIMAGRÉES, ZA-RHIM.... EXÉCUTE TA SALE BESOGNE !

LOK-THAR ! OCCUPE-TOI DES OFFRANDES !

AH ! ÇA SUFFIT !

HI ! HI !

RECULEZ VOUS AUTRES ! LES LOPVENTS NE VOUS SUFFISENT DONC PAS ?

?

ZA-RHIM ! DIS A TES GRIS-GRELETS D'ARRÊTER SINON..!

PAIX...

IL FALLAIT S'Y AT-TENDRE BRAGON !.. C'EST LA SAISON DES BASSES DOULEURS !

SANG ET FUMÉE !.. LA SAISON DES BASSES DOULEURS !

LE COMBLE !!

HOLA. MAÎTRE ZA-RHIM!

QUELLE SURPRENANTE CONTRÉE QUE LA VÔTRE!

ALORS QUE MA PATROUILLE Y DÉNICHE UN FOU.... VOUS, VOUS NOUS RAMENEZ LA FINE FLEUR DE LA CHEVALERIE!..

CE VIEUX BRAGON EN PERSONNE!

?

PÉLISSE, UN CHEVALIER N'EST JAMAIS UN MERCENAIRE! PISH!.. CE RUSTAUD VELU FUT DE MES ÉLÈVES LE PLUS PENDARD!..

PAIX, BULROG! ILS SONT LES HÔTES DE SHAN-THUNG!

?!
BULROG!

?.. TU CONNAIS CE FIER CHEVALIER, BRAGON?

... SON CUL PORTE ENCORE L'EMPREINTE DE MES LEÇONS!

...AH!..

ET QUI EST CE FOU DONT TU AS PARLÉ BULROG!?

JE N'EN SAIS ENCORE TROP RIEN SINON.... QU'IL EST HOMME.. DONC... FOU!

CAR TOUS CEUX DE CETTE RACE LE SONT!..

N'EST-CE PAS VIEIL HOMME!

DIS, BRAGON TU ME LE PRÉSENTES TON BEAU "MERCENAIRE"

DIX"...

BEAU!
...LUI...
HA! HA!

IL ÉTAIT DÉJÀ SI LAID GAMIN, QU'IL S'EST ENFIN DÉCIDÉ A PORTER UN MASQUE

N'EST-CE PAS... BEAUTÉ!

?

TU AS FAIT UNE GROSSE ERREUR BRAGON...

SOUDAIN...

QUE LA MÈRE FOUDRE VOUS BRISE!

?

?

Shöof!!

MISÉRABLES! VOUS OSEZ BA-FOUER LES RÈ-GLES SACRÉES DE L'HOSPITALI-TÉ DIR-WEIG!

FUYEZ! FUYEZ!

MILLE FURIES! PELISSE TU ES BLESSÉE?

...NON! MAIS QUEL EST LE FOU QUI?...

OOH!... MA TÊTE!

SHAN-THUNG!

AH! LE VOILÀ LUI!... IL ÉTAIT TEMPS! MA PATIENCE EST À BOUT!

DRÜ!

SOUTENEZ-MOI BULROG!... CETTE MAGIE M'ÉPUISE

JE SUIS LÀ PRINCE...

QUELQUES INSTANTS PLUS TARD...

QUELLE BONNE FORTUNE DE VOUS REVOIR, PRINCE... VOS INTERVENTIONS SONT TOUJOURS AUSSI FOUDROYANTES!

NOUS VIVONS DES TEMPS DIFFICILES, CHEVALIER....

BON! EH, BEN MOI, JE ME RHABILLE!

LE PAYS DES SEPT MARCHES BASCULE DANS LA GUERRE... LA SAISON DES BASSES DOULEURS RETIENT NOS COMPAGNES CLOÎTRÉES ET NOUS PRIVE DE LEURS...

...CHARMES!

SOYONS FRANCS, BRAGON. ...VOTRE PULPEUSE SUI-...VANTE N'A PAS SA PLACE ICI!

PELISSE N'EST PAS MA SUIVANTE!

HÉ, HÉ, AH OUI!... ON TAQUINE LE TENDRON MAINTENANT!

BULROG!

LE PRISONNIER A DISPARU!!

?!

QUI ÉTAIT LE MYSTÉRIEUX GUERRIER LUR QUI VENAIT DE DÉLIVRER FÉLISSE ?.. QUELLES ÉTAIENT SES INTENTIONS?

PAS LE TEMPS DE VOUS EXPLIQUER !.. MAIS NE VOUS INQUIÉTEZ PAS... JE SUIS LÀ POUR VOUS ... HEU! POUR VOUS PROTÉGER!

ME PROTÉGER ?.. MAIS CONTRE QUOI ?

...MALÉDICTION!

VITE BAISSEZ -VOUS !!

HEY! QU'EST-CE QUI VOUS PREND ?

IL Y A UN... UN GUERRIER LUR QUI ARRIVE SUR NOUS !

EN EFFET, LE MESSAGER DÉPÊCHÉ PAR BULROG VENAIT D'APPARAÎTRE... IL SE DIRIGEAIT DROIT SUR L'ÎLE AUX MÈRES!

ET BIENTÔT

OUVREZ LES PORTES! VITE! ORDRE DE BULROG! JE VIENS CHERCHER L'ÉTRANGÈRE!

ENCORE

FAUDRAIT SAVOIR CE QUE VOUS VOULEZ... ELLE VIENT DE PARTIR AVEC UN DE VOS CAMARADES EN-VOYÉ PAR SHAN -THUNG

ENVOYÉ PAR SHAN-THUNG? ... MAIS... C'EST IMPOSSIBLE!

BULROG SERA FURIEUX... LE VIEUX BARBU SEMBLE DÉJÀ L'AVOIR MIS HORS DE LUI !

VOTRE AFFAIRE ÇA! DÉBROUILLEZ -VOUS !

VOUS AVEZ ENTENDU !.. BRAGON EST EN DAN -GER ! IL FAUT L'AIDER !

OH... AVEC LA RENOMMÉE QU'IL A , VOUS SAVEZ, IL S'EN SORTIRA TRÈS BIEN TOUT SEUL !

PAS QUESTION! MOI J'Y VAIS !!

EH! ATTENDEZ !... C'EST PEUT-ÊTRE DANGEREUX !!

RAISON DE PLUS !!

BON SANG DE BON SANG! C'EST PAS POSSIBLE... DIRE QUE JE LA TENAIS !!

EH! ATTEN -DEZ-MOI, QUOI !

40

CEPENDANT DANS L'ERMITAGE...

SOYEZ RAISON-NABLE, BRAGON... VOTRE FILLE A L'AIR DE BEAUCOUP TE-NIR À VOUS...

IL SERAIT REGRETTABLE QU'IL LUI ARRIVE UN MALHEUR...

RESTEZ OÙ VOUS ÊTES!

...INUTILE, PRINCE! IL NE CÉDERA QUE LORSQU'IL VER-RA SA GAMINE...

...ÉCRASÉE SUR MA COUCHE! HA! HA!

BULROG! BULROG!

LA FILLE A DISPARU! ON L'A ENLEVÉE SUR L'ORDRE DE SHAN-THUNG!

QUOI!..

?

?!

?DO DISPARUE?

SANG-NOIR! À QUEL JEU JOUEZ-VOUS SHAN-THUNG?

C'EST LE MOMENT OÙ...

LÂCHEZ-MOI. BULROG! VOUS ...VOUS ÊTES FOU! JE N'AI JAMAIS DONNÉ CET ORDRE!!

...JAMAIS!

ARKH!

!?

HALTE!

ARRIÈRE CUL DE PLOMB!

AEY!

UNE SEULE ISSUE ...LE PORT!! C'EST LÀ QU'EL-LE DOIT SE TROUVER!

SPO

MALHEUR DE MALHEUR!.. TOUT S'EMBROUILLE!.. LA QUÊTE!.. LA CONQUE!.. LA PÉLISSE! COMMENT LA RETROUVER!..

AU MÊME INSTANT DANS LA BASSE VILLE...

ALLONS DÉPÊCHEZ-VOUS!.. QUE CRAI-GNEZ-VOUS?.. DÉGUISÉ COMME VOUS L'ÊTES, VOUS ÊTES MA MEILLEURE PROTECTION, NON!

HEU...OUI ...B...BIEN SÛR... J'ARRIVE.

...ET QUI ME PROTÉGERA MOI?..

PERDU !!! JE SUIS PERDU !

PRÉPARE-TOI À COMBATTRE PETIT !

NON !! QUE PERSONNE NE BOUGE ! IL EST À MOI !

MOMENT DE VÉRITÉ OÙ TOUT S'INCLI-NE ...

MA FAUCHEUSE ACCUEILLERA LES ÉTOURDIS !

ÇA PROMET !!!

TRÈS JOLI, BRAGON... MAIS TES DISCOURS NE M'IMPRESSION-NENT PLUS...

EN GARDE MON VIEUX MAÎTRE !

J'AI ICI QUEL-QUES LEÇONS À TE RENDRE !

PASSE MOI LA CONQUE PETIT...

VRAIMENT...!

EH BIEN, IL Y EN A ENCORE UNE AUJOUR-D'HUI QUE TU VAS POUVOIR COUCHER SUR TES TABLETTES.

!? EH !

ATTRAPE ÇA, GUEULE D'AMOUR !

ET ÇA !!

SPO !

LA CONQUE AVAIT DÉCONTENANCÉ BULROG... MAIS MOINS QUE LE COUP QUI SUIVIT AUSSITÔT...

JETEZ VOS ARMES TOUS ! OU JE LUI ÉCLATE LA TÊTE !

RAMASSE LA CONQUE PETIT... VITE !

LA STUPEUR AVAIT FIGÉ LES RANGS DES GUERRIERS LUIRS ... LES GRIS-GRELETS HÉSITAIENT ENCORE ... SOUDAIN, UNE VOIX S'ÉLEVA ...

PAS DE MERCI !... QUE LES GRIS-GRELETS ACHÈVENT CE QUI EST COMMENCÉ !

LA CURÉE ALLAIT COMMENCER !... SEULE PÉLISSE POUVAIT ENCORE INTER-VENIR !

C'EST LE MOMENT DE MONTRER À AKBAR CE QUE VAUT PÉLISSE ! COURAGE !

LA CONQUE ! ILS ONT LA CONQUE !

C'ÉTAIT LA FIN! BRAGON ET L'INCONNU ÉTAIENT CERNÉS PAR LES GRIS GRELETS... IL NE RESTAIT PLUS QU'UNE SEULE SOLUTION...

PROTÈGE LA CONQUE AVEC ÇA, PETIT... CETTE FOIS... C'EST LA BONNE!

YAAA... CRÈVE!

OUK!

LE CARNAGE AVAIT COMMENCÉ...

ARRIÈRE PANTINS!

A-ALLONS... À QUI LE TOUR?

FANATISÉS PAR SHANG-THUNG, LES GRIS GRELETS BOUSCULAIENT TOUT SUR LEUR PASSAGE.

ARRACHEZ-LEUR LA CONQUE! BRISEZ-LEUR LES OS! ENFONCEZ-LES DANS LE TOMBEAU!!

DÉJÀ, LES DEUX HOMMES VACIL-LAIENT SOUS LE NOMBRE... LA VIOLENCE ÉTAIT À SON COMBLE... QUAND SOUDAIN!

VOUS AUTRES, AIDEZ-MOI À SORTIR BULROG DE LÀ!!

ARRÊTEZ GRIS-GRELETS!

HONTE SUR VOUS!

JE VOUS CROYAIS UN PEUPLE DIGNE ET FIER! ET VOUS VOUS Y PRE-NEZ À PLUS DE CENT POUR AFFRONTER LES DEUX SEULS VRAIS BRAVES D'AKBAR!

LA FILLE!

PELISSE!

**MAUDITS!** VOUS VOULEZ UNE VICTIME !!... EH BIEN... SOIT...

DRÜ !

ME... VOICI !

PAR LES CROCS DU BORAK! CETTE GAMINE EST EN TRAIN DE ME DONNER LA PLUS BELLE LEÇON DE COURAGE QUE... QUE J'AI JAMAIS VUE !

OÙ EST-ELLE?... JE VOIS RIEN...

UN ÉNORME SILENCE S'ÉTAIT ABATTU SUR LES COMBATTANTS.

ACCROCHE-TOI BIEN, FOURREUX ...MON PLAN FAIT SON EFFET!!.

PUIS SOUDAIN TOUT S'ÉTAIT BRISÉ!!... LES GRIS-GRELETS SE RUAIENT EN MASSE VERS LA JEUNE FEMME...

C'EST PARTI !

RAAH CES SEINS!

JE LA VEUX !

ELLE EST POUR MOI!!

PERDONS PAS DE TEMPS, PETIT... IL FAUT SORTIR D'ICI PENDANT QUE LA VOIE SE LIBÈRE.

ELLE SAIT CE QU'ELLE FAIT... MAINTENANT À NOUS DE JOUER!..

HEU... OUI BIEN SÛR MAIS... PELISSE?

NON!.. SOUVIENS TOI! BULROG LE VEUT VIVANT!

SAUTE, PELISSE!

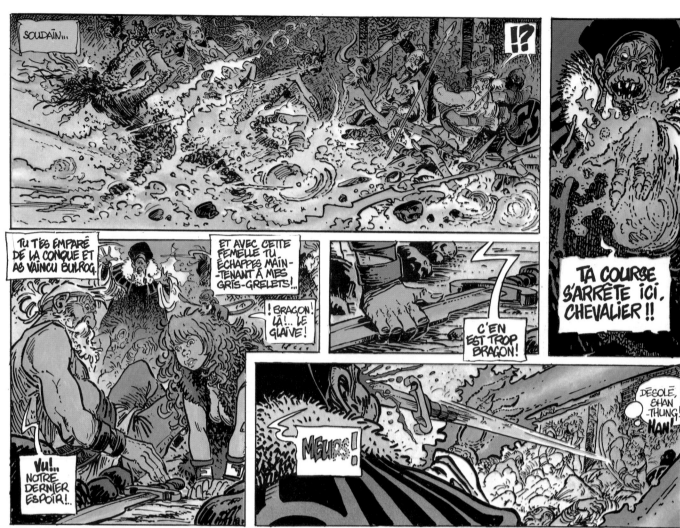

SOUDAIN...

!?

TU T'ES EMPARÉ DE LA CONQUE ET AS VAINCU BULROG.

ET AVEC CETTE FEMELLE TU ÉCHAPPES MAIN-TENANT À MES GRIS-GRELETS!..

!BRAGON! LÀ!... LE GLAIVE!

C'EN EST TROP BRAGON!

TA COURSE S'ARRÊTE ICI, CHEVALIER!!

VU!.. NOTRE DERNIER ESPOIR!..

MEURS!

DÉSOLÉ, SHAN-THUNG! HAN!

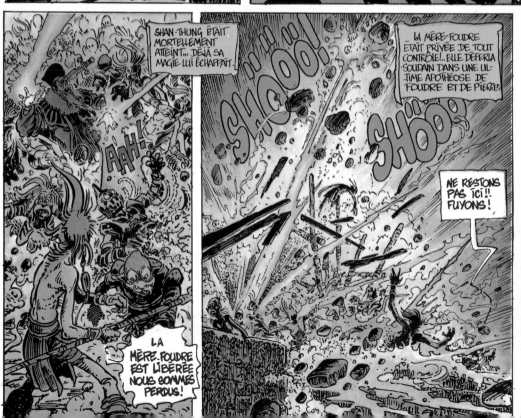

SHAN-THUNG ÉTAIT MORTELLEMENT ATTEINT... DÉJÀ SA MAGIE LUI ÉCHAPPAIT.

... LA MÈRE-FOUDRE ÉTAIT PRIVÉE DE TOUT CONTRÔLE!.. ELLE DÉFERLA SOUDAIN DANS UNE UL-TIME APOTHÉOSE DE FOUDRE ET DE PIERRES.

... AU PORT.

LÀ-BAS, DES EMBAR-CATIONS!

SHÖÖ!

SHÖÖ!

SHÖÖ!

AÄH!

NE RESTONS PAS ICI!! FUYONS!

LA MÈRE-FOUDRE EST LIBÉRÉE NOUS SOMMES PERDUS!

48

ET PEU APRÈS, PROFITANT DE LA PANIQUE PROVO-QUÉE PAR LA MÈRE-FOU-DRE, UNE FRAGILE EMBARCATION S'ÉCHAP-PAIT D'IR-WEIG...

À SON BORD, UNE TRIADE DE HÉROS FORMAIT L'ÉQUIPAGE...

ELLE LAISSAIT DERRIÈRE ELLE... DANS SON SILLAGE...

...UNE CITÉ À FEU ET À SANG.

UN PRINCE-SORCIER MORT

...ET UN GUERRIER LLIR IVRE DE VENGEANCE.

JE TE RETROUVE-RAI, BRAGON!

PORTÉE PAR LE FLEUVE DOL, LA CONQUE DE RAMOR REJOIGNAIT LENTE-MENT LA MARCHE DE MARA

...AINSI S'ACHEVAIT LA PREMIÈRE ÉPREU-VE DE LA QUÊTE DE L'OISEAU DU TEMPS.

49

VOILÀ, C'EST PRÊT... QUI EN VEUT ?... TON MYSTÉRIEUX BESTIAU, PEUT-ÊTRE... HM ?

TU ENTENDS, FOUR-REUX... IL FAUDRA BIEN QU'UN JOUR TU MONTRES À BRAGON TES "TER-RIBLES" POUVOIRS!

FROT! FROT!

HEIN, QU'EN DIS-TU ?

DRÜ !...

'FAIM! MOI! AAAH...

BAH, GARDE TES SECRETS, PELISSE... JE SUIS SÛR QUE NOTRE HARDI COMPAGNON, LUI... NE FERA PAS AUTANT DE MANIÈRES... ALLONS, QUI ES-TU, GRAINE DE CHEVALIER ?...

BEN... VOUS ALLEZ ÊTRE... SURPRIS...

OH, NON... GARDEZ VOTRE CASQUE, JE VOUS EN PRIE... C'EST AINSI QUE JE VOUS PRÉFÈRE... BEAU... SÉDUISANT ...VIRIL, PEUT-ÊTRE !...

...ET PUIS, COMME ÇA, VOUS SEREZ TOUJOURS MON INCONNU !..

...MAIS, MAIS...

ÇA Y EST... JE LES VOIS... PRESQUE...

...ALORS D'ACCORD ?

...OUI... OUI OUI !... DA... DA... D'ACCORD! GLOUP!

PELISSE! MAUDITE GAMINE... CRUNCH... CHE GARCHON VA FINIR PAR MARINER DANS CHA GAMELLE... GLOUP!... LAISSE-LE DONC MANGER...

NON, NON... JE N'AI PLUS FAIM ... JE VOUS ASSURE...

NE FAITES PAS ATTEN-TION À LUI... C'EST UN JALOUX!

N'EST-CE PAS... PAPA ?...

...AH, CES FEMMES... TOUTES LES MÊMES !..

COMME À L'ACCOU-TUMÉE, LES LUNES D'AKBAR INONDAIENT LE CIEL DE LEUR LUEUR JAUNE.

ALLEZ, ON REPART...

NOUS DEVONS ÊTRE CHEZ MARA À L'AUBE.

IL NE RESTAIT QUE HUIT JOURS AVANT LA NUIT DE LA SAISON CHANGEANTE.

ET GARDE LE CAP... HÉROS

OUF!

SCÉNARIO LETENDRE
DESSIN LOISEL
COULEURS . YVES LENCOT.

FIN DE L'ÉPISODE.

46